神々の加護で生産革命

～異世界の片隅でまったりスローライフしてたら、なぜか多彩な人材が集まって最強国家ができてました～⑥

漫画：トトキハルキ
原作：風来山
キャラクター原案：鈴穂ほたる

モンスターコミックス

production revolution by blessing of gods

6

CONTENTS

第26話

レナ!!
マチルダ!!
レナ様!
ビュルッ
フジカっ!?

ズドドドドッ
クソッ
数が多すぎる…！
グアア
アアア
なっ…
味方の魔族まで
吸収しているのか…!?
暗黒神の
贄となれる
歓喜に打ち震えて
滅せよ……

黒死滅溶（ラヴェナス）!!
アアアァ

ギャ
なぜ味方の魔族まで殺めるんだ!!
クズがいくら死のうがお前には関係のないことだろう…

自分の国の民だろう！
民…？ 弱いクズは贄にするくらいの価値しかない
贄だと…!?
まだわからぬか…
お前が行った水攻めも…大いに役立つものだった
必要な贄は準備できたこれで――
暗黒神ヤルダバオト様復活の儀式が行える!!

暗黒神の復活だと…
なあタダシ暗黒神はどこにいると思う？
どういうことだ!?
この・・・下だよ

この辺獄の地下深くに暗黒神は潜み
復活の日を待っていたのだ
そんな…
アハハハハッそれだ！
その吠え面が見たかったのだ!!

余は今まさに暗黒神と魂で繋がり
完全体となった
★の数が…！
ズオオオオオ
お前らがどれほどあがこうと
ぐぐ
うっ…！
余は世界を滅ぼすまで止まらぬ

ノスフェラートは手応(てごた)えがなさすぎた…
ギュ
魔王の遺児(いじ)よ!
グッ…
ギュ
貴様はじっくり苦しめてから殺してやる
下種(ゲス)が……
ペ

ギロッ
言ってもわかるまい
ギッ
王として
ふさわしい力を
持ちながら
転生者の
子孫ではないと
いうだけで
理不尽に
認められなかった
余の怒りが!!
ぐはぁ!

クソッ…
あんたなんか…
魔王に…ふさわしくない…!!
ほざけ!!

ギュ
グッ……!
力がすべて!!
力こそすべての世界を
余が創るのだ!!
ギュ
ギュ
くッ……!
ギュ
それをその身に
たっぷりと
思い知らせてやる!!
ザクッ

ザクッ
ザクッ
アハハハハッ!!
ザクッ
ついに万策尽きて
おかしくなったか
大野タダシよ!!

魂の耕転(アストラル・ディグブレイク)!!

ズドオオン

ドサッ
暗黒神と魂が繋がったと言ったな
だからその魂の繋がりを耕した
なんだと…？

繋がっている根っこを耕したと言った！
全部断ち切ってやった!!
ミヤ様に与えられたこの〝眼〟で…
奴の言う魂の繋がりがすべて見えた
バカを言うな
たかが転生者ごときに
そんなことできるはずがない

もはや この身は次元すら超越した神の化身なのだぞ!!
その暗黒神に繋がる次元ごと耕した!!
な…
なんだと…!?
理解不能だ…

ガクッ
バカなッ…
余と暗黒神との繋がりを…本当に…
断っただと…
お前は…
お前は一体何者なのだ!?
俺は大野(おおの)タダシ!!

農家だ!!
ドン
ふ…

ふざけるなぁあああああ!!
グッ…
ズバッ

お父さんの仇(かたき)!!
ドッ
馬鹿な…

ぐぁぁあああああ!!

はあっ
はぁ
ズゥゥゥーン
レナ!!
ダッ
マチルダ!!

よくやった!!
ぎゅっ
お父さん…
タダシ様…

俺達の勝ちだ！
ゴオオオ…
ザァァァ
サァァァ、
よかった
浄化はできるのか
ヴィランの最期は
自滅とも言える

暗黒神との繋がりを断ち切られ
急速に膨れ上がった巨体を維持できずに自壊したのだ
さすがはタダシ様
あれほどの瘴気を一瞬で浄化されるとは
いつ見ても惚れ惚れしますね
イセリナ

動いて大丈夫なのか？
はい！
こんな時ですから少しでもお力になりたくて…治療ならお任せください
無理するなよ大事な身体なんだ
ぽん
はいタダシ様
くすっ

さっさと殺せ!!
我が名は副将ド・ロア
主君を討たれ私だけ生き延びるつもりはない

めんどくさいから殺せば？
王様！この人は絶対従わないから殺した方が
殺してはダメだ!!
これ以上争うなと説き伏せて全員助けるんだ！
従わぬ者も助けるだと？
…辺獄を治めるタダシ王よ
聞かせてくれ
魔王に従わぬ我々を解放すればまた敵になるかもしれない
それでも殺さぬのか
貴方はオーガ族を守ってくれたんだってね

それは…我々に利があると考えてのことだ
理由はどうあれ俺は貴方が救ってくれたオーガ達に助けられた
…変わった人だな
はっはっは
よく言われるよ
礼は言わぬがこれは借りと思っておく
ザッ
タダシ陛下!!

ドッ
公王陛下にオルドス殿も！
ご無事でよかった！
大勝利だったなさすがは儂が見込んだ婿殿だ
大きな被害が出てしまいましたけどね

しかし
これで長らく続いた
魔族と人族の戦は
終わった
そうですね
そう考えれば
無駄ではなかった
失ったものは
多いが…
後のことは後で
考えればいい
今はともかく
共に勝利を
祝おうではないか
おーーーっ!!
とっておきの
美酒を
放出しますか
ただし
公王陛下は
禁酒ですぞ
なっ…
せっかくの
戦勝祝いにそれは
ないではないか!!

ふう…
いい祝宴だった
ふぁ…
今夜はよく
眠れそうだ…
タダシ様
うーん
そうだな
みんなにも
何か褒美を…
ニャリ
話が早いニャー
コツ
ひょ
一つお願いが
あるんですニャ
頑張ったみんなに
正統な褒賞を渡すことが
王たる務めだと思うニャ

妻全員に
寵愛を頂きませんとニャ♪
きゃっ
きゃっ
ええっ…!?
とほほ…
夜はまだまだ長くなりそうだ…

〝聖王国〟
――聖都アリアナ
始まりの女神アリアの
神殿を有する
人類発祥の地――
輸入品には
なんの異常も無いし
ピラ
…
市中で見る限り
評判も上々か
これは
使えそうね…

ガバ
やはりお父様には私が進言せねば
ダッ
〝タダシ王国〟
かの国は私達にとって大きな意味を持つのだから──

第27話
ヴィランとの戦いから半年が過ぎた
ふぅ…このあたりもだいぶ復興できたな
あれから暗黒神ヤルダバオトが復活することのないように土地を浄化し
神様達に封印を施してもらった

戦いの後始末も終わり
平和な日常が戻ったが
隙を狙っていた
フジカに迫られ
バンクシアや吸血鬼達とも
結婚することになった
その一方で
レナ姫は無事
魔王に即位し
アンブロサム
魔王国の再建を
目指している

タダシ王国は魔王国と公国
両国と連合を組み 戦いで傷んだ
各地の復興支援に努め
流入する
難民の保護や
農地の整備
村の建設などに
奔走して
日々はあっという間に
過ぎていった――
ぎくっ
タダシ様

妻達のまとめ役マール
イセリナ様が心配なのはわかりますが落ち着いてください
ごめん…
海エルフのガラス職人アーシャ
裁縫(さいほう)が得意でおしとやかなローラ
獣人で大工の女棟梁(とうりょう)シップ
俺と同じ農家のベリー
兵士長のリサ
獣人の勇者エリン
猫妖精(ケットシー)の商人賢者シンクー

そしてエルフの女王
イセリナ
最初の九人の妻は
全員妊娠している
そして今日は
イセリナの
出産予定日だ
うーむ
落ち着けと
言われても…
何もできないのが
歯がゆいな…
ヴヴヴヴヴヴ〜
びくぅぅ

…なあ マール
俺も手伝っては
ダメか？
ニコッ
人手は足りてます
イセリナ様にも
恥ずかしいから
〝絶対に〟タダシ様を
入れないようにと
頼まれましたので…
ゴゴゴゴ…
そ…そうか…
こういう時は…
ちらっ
神様に頼ろう
きゅっ

…どうか
無事に産まれてきますように
だんんんん〜〜ッッ
…これは産まれましたね

ダッ
本当か!!
ピタッ
サッ
おっと
ダメですよ
入っては
ああ
そうだった
私が先に
見てきますから
そわ…
そわ…
タダシ陛下
ひょこっ
うちらも消毒して
おきましょうニャ
シュー
タダシ様…

おお…！
ふふ パパのお顔を見せてあげてください
これが俺の子なのか…！
目元などタダシ様によく似ておられます
元気な男の子ですよ

…タダシ様
…ああ
かわいいなぁ…
イセリナ様ももう大丈夫なようですよ
中で褒めてあげてください
あぁありがとう

イセリナ
入るよ
タダシ様…
ありがとう
イセリナ
よく
頑張ってくれた…！
…はい
タダシ様…
赤ん坊の名前は
どうされますか？

リョウ
というのは
どうかな
俺の故郷の言葉で
〝良い〟という意味だ
ふにゃ…
この子の未来に
良いことばかりが
訪れることを祈って
素敵な名前…
この子も
気に入ったみたい
おぎゃあ
おぎゃあ
おぉ
よしよし
リョウ
お前の未来のために
良い国を作ってみせるよ

さらに半年後…
チュン
チュン…
くっそー！
ゼェ
また負けたぁ！
ハァ
二人がかりでも勝てないとは…
ぐでーーー…
さすがは夜の生産王…
こんなことで協力しなくても…

お疲れ様です タダシ様
なあ… さすがにベッド 大きすぎないか
300人 使用可
タダシ様ほどの 王であれば これくらいの規模は 必要でしょう
たしかに 王国の規模は 大きくなった
とはいえ ベッドの大きさで 威厳を示す風習は いまいち理解できない
俺にも娘の顔を 見せてくれ
イセリナの出産から しばらく経ち 九人の妻全員が出産している

今日の朝食は
ほとんど
イセリナ様が
作ったのですよ
お口に合えば
いいのですが…
カチャ…
うん！
どれも美味しい
よかった
おかわりも
ありますからね
この豊かな食事を
できるだけ
多くの人々に
届けるため…
今日も畑を
耕さなければな
タダシ陛下
ちょっと今日は
城に居て欲しいニャ

今日は畑に行こうかと思ってたんだが
そう言うと思ってたニャ
今日は魔王レナ陛下と公王ゼスター陛下が来る大事な会議があるのニャ
ガタッ
そうか なら俺が居ないわけにはいかないな
そんなに大事な話なのか？
詳しくは後で話すニャが
聖王国がついに本気を出して制裁を仕掛けてきたニャ！

その少し前――
聖都アリアナ
リシュー猊下のおなり！
聖王ヒエロス・アヴェスター
唯一 始まりの女神の加護☆☆☆☆☆を持つ神の代行者

ガッ
ザッ
大司祭にして大宰相
リシュー・エーグノ公爵
ザッ
リシュー
どうした？
血相を変えて
ザワ
ザワ
どうしたも
こうしたも
ございません!!
なぜタダシ王国への
禁輪措置を
緩めたのですか!?

うーむ…
それが猫耳商会と
タダシ王国は
別だと言われてのう
別なわけないでしょう
その辺りは
すでに調査済みです
猫耳商会の主シンクーは
タダシ王国の王と
結婚しているのですよ！
リシュー!!
そ…そうか…
しかし…

お父様には
私が頼んだのです!!
聖王ヒエロスの一人娘
聖姫アナスタシア
これは…
アナスタシア様
辺獄のタダシ王国
とやらは
たいそう安く
食料や治療薬を
売るそうですね
…魔族に与する国が
送ってきた
汚らわしい食料です
毒が入っている
という噂も
その件も含めて
私がきちんと
調べました

良質の小麦や米でした
毒などどこにも入っていません！
…それがどうしたというのです
どうしたって…それで飢餓や疫病から救われている民がいるのですよ
大事な食料の供給を止めるなんてやりすぎでしょう！
だからそれがどうしたのかと聞いているのです
なんですって⁉

タダシ王国は汚らわしい亜人種どものみならず
邪悪なる魔族と共存しようなどと世迷い言を言ってる国ですぞ!!
ぎゅっ…
…それは重々承知しております
しかし提供される食料や治療薬に罪があるわけではない…!
リシューの言う厳しすぎる処置は緩和すべきです!!
いいえ足らないくらいですね
本当は今すぐ武力を持って潰したいくらいなのですよ
なっ…!

戦争はいかん
戦争だけはいかんぞ!!
わかっております我が国は平和国家ですからね
しかしタダシ王国と各国を断交させることは必須です
なぜそこまでしなければならないのですか？
…タダシ王国を野放しにすることで
我が国が滅びる
滅びる？豊かな我が国がどうして？

ガラガラ…
我が国の豊かさは貿易で成立しているのですよ⁉
サッ
味噌！
醤油！
ソース
神聖なる清酒まで！
タダシ王国は聖王国の高額商品を模倣(もほう)してみせたのです！
なんと……

禁輸措置を緩めた その判断がいかに 誤りであったか 一目瞭然でしょう
う…うむ…
しかしリシュー 貧しい民達は…！
…不遜なことに タダシ王は 神々を直接降ろすと 言われています
ただの噂 でしょう？
そんな噂が この聖都にまで 伝わっていることが 問題なのです!!
安い値段で物資を ばら撒いている タダシ王は ちまたでは 救世主扱いだ
このままでは タダシ王国が新たな 覇権国になる日も 遠くない!!
な…！

そうなれば北の帝国だって大人しくはしていないでしょう
国家間の秩序は崩壊し新たな戦乱の時代になりかねない
そうなれば行き着く先は大陸戦争ですぞ！
ともかく人族の各国にはタダシ王国との貿易停止を命じ
従わない国は敵とみなします
よろしいか聖王陛下!!

グッ…
…わかった
お父様！
それはあまりにも早計すぎるかと！
これだけでは生ぬるいくらいださらなる措置も検討するべきです
それでよろしいですね
ガッ
待ちなさいまだ話は終わっておりませんよ
聖王様は理解していただけたようだ

ダッ
待ちなさい
リシュー！
タダシ王国——
これは始まりにすぎない

第28話
三王会議
みなさま
本日は
お集まりいただき
ありがとうございますニャ

それでは
今回　聖王国が科してきた制裁について説明しますニャ
聖王国は国交のあるすべての国に
タダシ王国及び猫耳商会との貿易を禁止する布告を出したニャ
「従わなければ人族の敵とみなす」という脅し文句つきニャ
ダーンッ
この布告はなんなのだ!!
聖王国への愛想も尽きた儂はこの布告に従うつもりはない
お父様のおっしゃる通りです
我々は長い間聖王国の盾となって戦ってきたのにろくな援助もなかった…

公国は聖王国との関係を断ち　タダシ王国と運命を共にする！
なあオージン!!
ええ
聖王国の特産品はタダシ王国でも作れるものです断交しても困りません
それに布告を出しても従う国がどれだけあるか…
制裁の次に戦争を仕掛けてきても我らは戦うまでです!!
いやいや
こちらとしても戦争は望んでいないですから

それは大丈夫ニャ
聖王国の軍は小規模…当面は安心だと思うニャ
ほっ…
アンブロサム魔王国はどうですニャ
……
姫様…
レナ魔王陛下!!
ハッ
陛下の考えをお伝えください!
私…いえ
ぎゅっ…

余としても
タダシ王国と共に
歩んでいくつもりです！
どどん!!
…三国は運命共同体
密に連携し対応していく
ということで決まりニャ
いずれ多くの国が
タダシ王の創る世界に
賛同するようになるニャ
なあシンクー
聖王国の制裁で
何か困ることは
ないのか？
？

フッ…
実はこれっぽっちもないニャ
ドヤァ〜
えっ
本当に何もないのか？
聖王国自慢の交易品は全部タダシ陛下が作ってしまったニャ
ソース
醤油
味噌
そう言われたらそうだな
じゃあなんで貿易停止を？制裁の意味はなんなんだ？
聖王国からすればこうやって態度を見せるぐらいしかできないだけニャ
虚勢(きょせい)を張っているってことか？

うーん
そこまで言うと
可哀想ニャ
うちら猫耳商会も
貿易の差し止めは
おおっぴらに稼げなくて
困るニャよ
けどそれも
時間の問題ニャ
聖王国の対応は
何もかも
遅かったニャ
すでに大陸中央部にある
自由都市同盟の諸国は
うちらのお客さんニャし…
聖王国から脅されても
うちらの物資に
依存している状態は
どうにもできないニャ
もしかしたら
聖王国の陣営を抜けて
寝返る国も出てくる
かもしれないな…
「なるべく安く売れ」
「困ってるならタダでも
いいから配ってやれ」と
言ったタダシ陛下は
凄かったニャ

グッ
損して得取れ！うちもまだ勉強しなきゃいけないニャね！
いやそんなつもりはなかったんだが…
歓談タイム
お父さん！ケーキ持ってきたよ！
みなさん会議でお疲れでしょう少し休憩されては
お父さん！はい どうぞ
マールの連れ子
プティ

うん
うまい！
ぱくっ
トライフル
プティが持ってきたの！
ぎゅっ
ハハッ ありがとう
プティのケーキは美味しいな
ぱく…
うまい!!
酒の量を減らせとオージンがうるさくてな
反動で甘い物がいつもよりうまく感じる…
それはそれは

しかし
愛らしい子を見るのは良いものだ
ニコッ
マチルダにもこんな頃があった
あっ
か
やめてください お父様！
ハハハッ 良いではないか
懐かしいのう マチルダはかなりお転婆じゃった
コホン

……良い機会ですので
お父様にお伝えしたい事があります
ばっ
まさか!!
…はい
私にも子ができました

そっ そうか
でかした!!
ガタッ
公王陛下!!
危のう
ございます!!
お父様!?
ご無理をされては…!
大丈夫だ
孫が無事に
生まれてくるまで…
いや
国を継げるように
なるまで絶対に死ねん!

決めたぞ！
むむっっ
今日から儂は
酒を断つ！
じゃあビールは
いらないですね
お土産にと
思ったのですが
ぎくっ
うっ うむ…
それは…うーむ
アハハ…
これはいつまで
続くことやら
失礼ですよ
オージン
お父様は決して誓いを
破らない人です!!
そ…そうとも…
孫が生まれてくる
くらいまでは必ず…

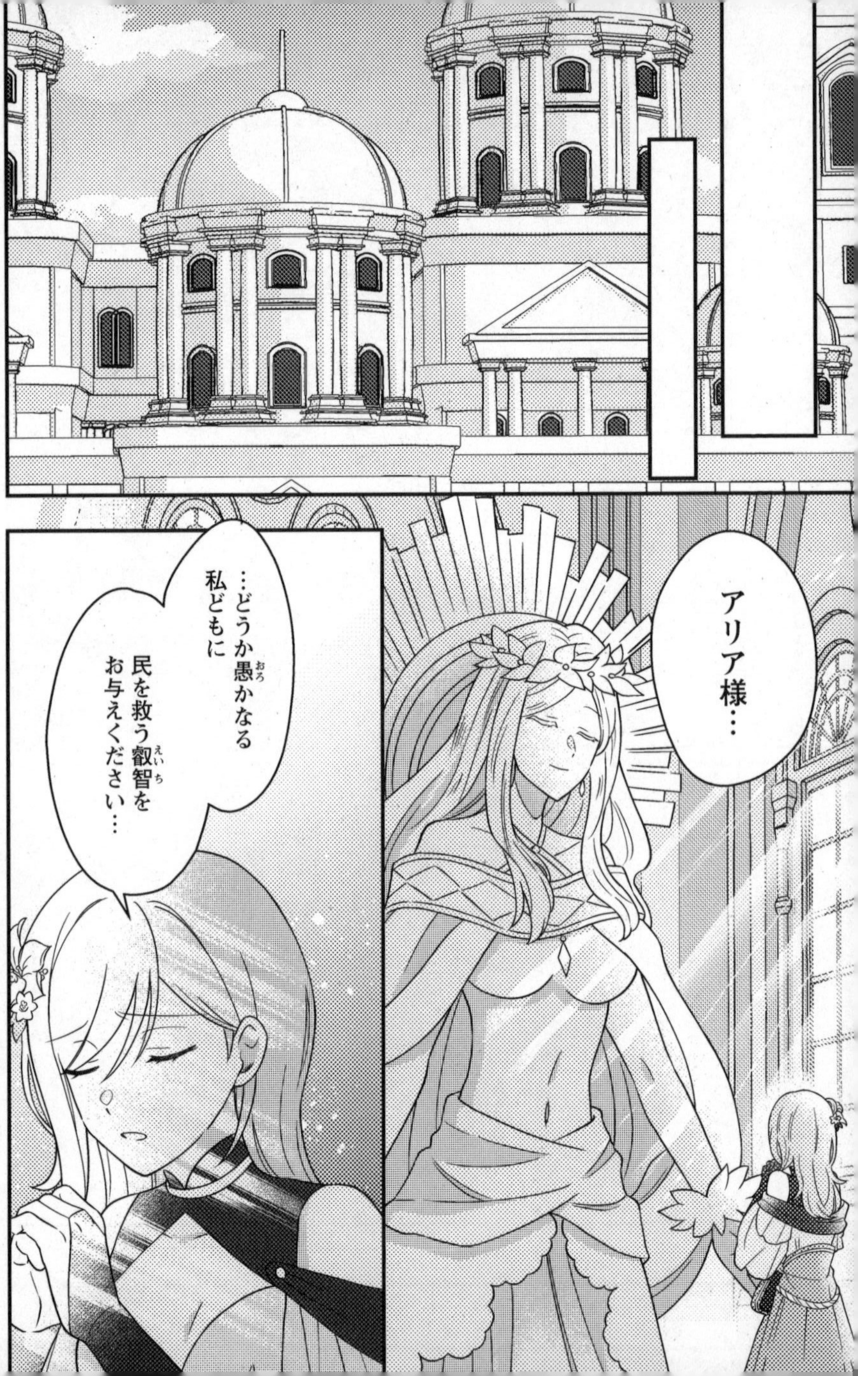
アリア様…
…どうか愚かなる私どもに民を救う叡智をお与えください…

アナスタシアよ…
聞こえますか……
アリア様!?
ぱっ
迷うことはありません
貴女自身が思うまま
善いと思うことを
行いなさい

心のままと申されましても…
…貴女の目で
辺獄を見てきなさい
聖姫として…
タダシ王国を見極めることこそが今やるべきこと…！
心は決まりましたか？
ギュッ…

はい…
全てはアリア様の御心のままに…
バタンッ
こうしてはいられないわ！
ハッ
ザッ
アナスタシア様…
リシュー
そこをどきなさい
止めても無駄です

アリア様の御神託は
何をおいても優先すべきこと…
…お荷物をまとめられたということは
タダシ王国を自らの目で見極めるつもりなのでしょう
それならば止めませんよ
ドキッ
えっ!?

私も…遠戚ではありますが聖者の血を引く者
アナスタシア様の晴れ晴れとした顔を見てすぐにわかりました
ドサッ
もしや…
リシューにもアリア様のお告げが聞こえたのですか？
先程は国を守る立場として厳しいことを申し上げました
ニコッ
どうかお許しください

…民を救う物資の輸入を差し止めるなど
本意ではないのです
本当ですか!?
私とて聖職者の身です
貧しい民達を救えぬことは胸が張り裂けるほど悲しい…
でしたらなぜあのようなことを…
大宰相の立場ではああ言うしかなかったのです
聖都の民は私を独裁者と思っているようですが
私の意志だけで国を動かすことはできません
食糧や医薬品の価格…そして配給については他の聖職者や官僚達が決めていることです

リシューでも自由にならないと……？
はい
暴利を貪る者は処罰していますが私でもすべては取り締まれません
そういう……事情でしたか
思えば私も父上も苦労をかけて…
いえ！貴女は聖王国の象徴
私が汚れ役となるのは当然のこと！
私はなんと愚かな……
ぽろ…
リシューの罪は政務を任せっきりだった私の罪でもあります
どうか頭を上げてください

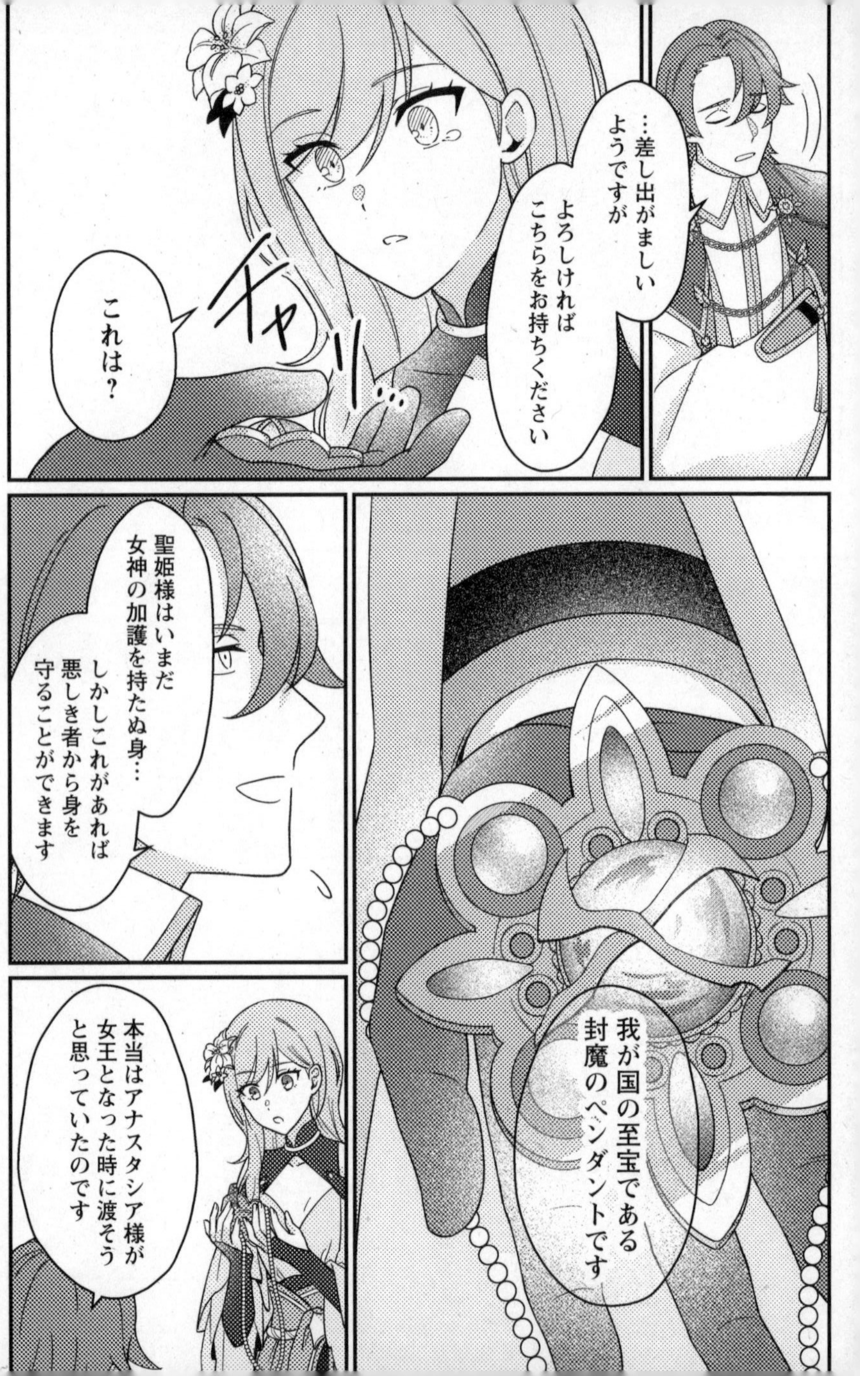
…差し出がましいようですが
よろしければこちらをお持ちください
チャリ…
これは？
我が国の至宝である封魔のペンダントです
聖姫様はいまだ女神の加護を持たぬ身…
しかしこれがあれば悪しき者から身を守ることができます
本当はアナスタシア様が女王となった時に渡そうと思っていたのです

どうかご無事で
お戻りください
ザッ
何から何まで
ありがとう
リシュー！
必ずや無事に
帰りますから!!
コツ…
…リシュー猊下
あれでよろしかった
のですか？

大人しく国を出ていってくれるというなら好都合というもの
お人好しのアナスタシア様に難民キャンプや街をうろつかれては邪魔でしょうがないですから
いい厄介払いができました
…しかし
女神アリア様の御神託とは一体なんだったのでしょうか？
さぁ…？私には聞こえませんでしたので

天上におわす神々には神々のご意思があるのでしょう
しかし地上に生きる我々にだって意思というものはあります
違いますかグハン
ゾワッ
猊下のおっしゃるとおりでございます!!
猊下の御意のままに!!

タダシ王国
王城内執務室
もぐ
もぐ
ん〜
もぐ
もぐ
あんこって美味しいですねフジカ様
タダシ様はいいもの作りますですねぇ
アマミツ
お菓子もいいけど聖王国から来る密偵の対応はどうなってるの
まーギリギリなんとかなってるってところですね

でもこのままだとうちはパンクしますですねえ
もぐ…
いっそのこと対応を機密防衛に絞って他は放置すべきではないでしょうか
はあ…
そうするしかないか…
このところ聖王国からと思われる密偵の報告が相次いでいた
敵対国とみなし諜報の網を張ろうとしているのだろう
フジカ様 要人警護を強化すべきでしょう
戦闘力がない奥方様が護衛もなくフラフラ出歩いてると
捕まって人質になったりするかもですよ
それもそうね

フフ
エリナ
新しい移民の
調べの方は？
はい！
なんとか
まとまりまし…
ザァッ
バ
きゃー!!
やれやれ…
ピラッ
あ…
こいつの経歴
怪しいです
他の国を使って
経歴偽装してるです
ほぼクロですね
すぐ調べさせます!!
…聖王国の
聖姫アナスタシアが
タダシ王国に
向かっていると
報告があった…

仮にも王位継承者が
仮想敵国に単身で
来るなんて…
どうして誰も
止めないのかしら
…もしかして
聖王国内も
一枚岩ではないのか…？
そう断定するには
情報が少なすぎる…
何かの罠か…
それとも聖王国にも
話し合いを望む
勢力があるのか…
フジカ様
ハッ
考え過ぎはダメですよ

情報が足りない時に考えても意味ないです
実際会って話してみたらいいじゃないですか
わかってるわ…
聖姫アナスタシアと和解できれば戦争を避ける手立てが見つかるかも
そのためには聖王国に敵視されている魔族の自分達が前に出てはダメだ
一歩引いた位置から諜報活動で先を見通す
タダシ王国の平和は私達が守らねば…

第29話
タダシ王城内
厨房
客人へ出す
料理の試作会…
ゴリ…
ゴリ…
ゴリ…
おお！
想像以上だ！
抹茶が飲みたくて
茶葉を育ててたけど
こんなに
上手くできるとは
抹茶
ひょこっ
シャシャ
シャシャ…

もしや
これが以前お聞きした
抹茶でしょうか？
うん
お茶の一種だよ
一口飲んでみる？
では
頂きます！
ズズ
ズズッ
あ…
？
！
んんー!!!
ぷる
ぷる
ぷる
一気に飲んだら
そうなるよね…

お…美味しいです
ニコォ…
ははは
よしよし…
無理しなくていいよ
苦かっただろう
この世界の人はコーヒーに砂糖やミルクをたくさん入れるから
苦みに敏感なんだろうな
うーん…
みんなに出すなら飲み方を変えるべきかな…？

ぺろっ
うーん
苦いけれども
独特な甘味が…
この粉末はお菓子にも
使えそうですね
さすが マールは
よくわかってるな
粉のまま
ケーキの生地に混ぜて
焼いてもいいと思うぞ
とととと…
しかし…
最近ケーキの材料ばかり
作ってるような…
ぺろ…

お父さん
これにがい!!!
にがい〜っ
口直しに
このお菓子を
食べたらいいよ
ぱあああああ
あらあら
そんなに甘い物ばかり
食べてると夕ご飯が
食べられなくなりますよ
そうだね
もうほどほどに
しておこうな
プティ
うん！
こそ…
じーっ

食べるかい？
スッ
……美味しい
ふわっ
それはよかった
さくっ

ぎゅっ
お父さん…
ありがとう…
大好き
レナもまだ
甘えたい年頃か…
父親を失った境遇も
考えるとなあ
ぷくーっ
ちょっとー！

プティのお父さんなんだよ
お姉ちゃんは離れてー！
ぐいっ
…いや
レナのだから
二人とも喧嘩するな
でもーお姉ちゃんが！
レナ様
こそっ

・・・・
パッ
助かるフジカ
クス…
いえ
嫌な予感
レナ様も成人が近いですし
いつまでも娘気分では困りますからね
それはどういうことだ？
プティ
私が悪かったわ
あなたのことも大切にしなくちゃね
だって余はタダシ王のお嫁さんになるんだもん
ドヤ…

えー!?
ぴょこここ
お父さん
ホントなの!?
今すぐじゃないぞ
婚約はしてるから
いずれそういう話も
あるということだ
レナって
大人しそうでいて
結構強情だよな…
私も!! お父さんの
お嫁さんになる!!
いやいやプティ…
娘とは結婚
できないんだよ
いやー!!
じゃあプティも
お父さんと婚約する!!
いいじゃないですか

婚約してあげたら
ハッ
これはいわゆる…
お父さんのお嫁さんになるってやつか！
やだーっ
じゃあ…プティが大きくなったら結婚しようか…
ぴよ
んっ
わーい!!
やったーっ！
そうだタダシ様
準備していたうどんの生地ができたようですよ

おお
うどん生地
いい感じになったな
マチルダ エリン 手伝ってくれてありがとう
このくらい他愛無いことです
ボクが作ったやつの方がいい生地だから！
バチッ
タダシ陛下はすごいですね
勇者二人を料理番に使うのですから
皮肉で言ってるのか…？

争いをせず
平和に料理できるなら
それが一番いいからね
それじゃあ
作ってみようか
この棒で伸ばして
麺を作るんだ
その後
切るんですよね
トッ
トッ
さすが
マールは上手いな
私は王国中の料理人を
指導する立場ですから
真剣にもなります
マールは王国に
新しい料理を広める
仕事もしている
おかげで民はより豊かな
食事を楽しめているのだ

つゆもいい感じだな
ぐつ
ぐつ
油揚げってこれでよかったんでしょうか
上出来だ
ネギも刻んで入れた方が見栄えもよくなる
あとは盛りつければ全部を…
完成!
ほか
ほか
きつねうどん

さぁみんなも
ぜひ食べてくれ！
ただ
熱いから…
ちゅるっ
熱っ！
熱いから
気を付けてね
ぱぁ～っ
タダシ様
とても
美味しいです！
さて
俺も
いただくと
するかな
いただきまーす！

聖王国沖合
お二人とも船に乗せていただき感謝します
いやいや聖姫様に乗船していただき光栄ニャー
船長
クリスピー
聖王国方面支店長
フレーク

王族を乗せるような船じゃないけど しばらく我慢して欲しいニャ
いえ とても立派な船だと思います
ザァ
…
国交断絶状態のタダシ王国へ移動するには密航しかなかった…
難民キャンプで知り合った猫耳商会の商船に乗せていただけたのはアリア様のお導きね…
ハッ

ドドン
な…
なんです
あの船は⁉
3隻も⁉
あー
海賊船ニャね
そんな！まさか
この船を狙って⁉
あれは
ガレアス船って
いうんだニャー
海賊にしては
いい船使ってるニャー
そんなこと言ってる
場合ですか‼

しょうがないニャー
姫様が怖がって
おられるようだから…
みんなさっさと
片付けるニャー
グルーンッ
あいあいーにゃ！
ザザザアアア

にゃー！
にゃー！
にゃー！

今の音は！
魔鋼鉄大砲って
自慢の武器ニャ
大砲!?
帝国の船が
撃っているのを
見たことがありますが
こんなに飛距離が
でるものなんですか？
ニッ

まだまだこんなもんじゃないニャー!!
見てるがいいニャー
敵はあと五分ともたないニャー!
ドオオオン

連続発射!? しかも全弾命中？
ニャハハ 魔鋼鉄大砲は めちゃ硬なのニャ
だから火薬をどれだけ 使っても砲身が 割れないのニャ！
……

クリスピー姉おかしいニャア
なにがニャー
今まで何度も魔鋼鉄大砲で返り討ちにしてきたから
今さらウチに手を出してくるような海賊はこの辺にはもういないはずニャア
うーん
まあバカはいるんじゃないかニャー
それよりフレーク積荷とか奪っておくかニャー？

まともな海賊団なら襲いかかってこないはず…
とすると何も知らないはぐれ者…？
でもそんな海賊があんなにいい船を用意できるニャか…？
それに聖王国の沿岸部で堂々と襲ってきたのも怪しいニャア…
いやクリスピー姉
あそこに近づくのは止めておくニャア

フレークがそう言うならそうするかニャー
ニッ
今は先を急ぐ方が得策ニャね
うわあああ
助けてくれェ!
…助けては差し上げないのですか

申し訳ないけど それはできないニャ
姫様が乗っているからこそ面倒事はごめんだニャ
そう…ですか…
そもそもこの船は立派な密航船
海賊を捕まえて聖王国の官憲に引き渡そうとしたら逆に逮捕されてしまう恐れもあるのニャ…
!!

ニッ
…どうやらフレークの判断は正しかったようだニャー
ドオオオオ
キャーッ
また海賊船ですか!?
増えてるし!!

♪~
ひゅー
いい船ニャー
フリゲートってやつニャー
沈めるのが惜しいニャー
言ってる場合ですか!!!
大丈夫ニャー
むしろ
ここからが
楽しいところニャ
ジャ
キッ

よーそろー!
ドーーン
ドオオオン
さぁ
攻撃準備ニャ
猫耳商会らへ喧嘩売ったこと
後悔させてやるニャ
あいあいにゃー!!
アリア様…
ドオオオン
どうかご加護を…

第30話
ザザ～ン…
ニャハハ～！
猫耳商会の
大勝利だったニャ!!
や…
はあ…
はあ…
やっと…
終わった…のですか？
アナスタシア様
安心してください
敵はもういない
ですニャア

ありがとうございます
海上はこんなにも危険なんですね…
う〜ん…
それについてはクリスピー姉が戦いたがってるだけな気がしますニャア…
フレーク何言ってるニャ
ぎくっ
売られた喧嘩は絶対に買う
それが猫耳商会ニャ!!
それより姫様船首の先を見てみるニャ

あれって…！
あれが我らが港街シンクーなのニャ！
きっと姫様も気に入るニャ
すごい…！大きな街なんですね
総員入港準備ニャー！
あいあいニャー!!

改めて…
ここがタダシ王国
最大の港街
シンクーですニャー

ここはボク達 猫耳商会が一から創り出した街ニャ
各地を放浪して商売を続けてきた我々の初めての本拠地…
我らが主
偉大なる商人賢者シンクー様の名前がついてるんですニャ
フレーク
私は姫様に街を案内するからあとは任せていいかニャー？

しょうがないニャア
細かいことは僕がやるから案内はクリスピー姉にお任せするニャア
ぐふふ 優秀な弟がいて嬉しいニャー
じゃあ姫様
一緒に街へ繰り出すニャーよ！

たくさんのお店があるんですね
最近どんどん新しい飲食店もできて賑やかになってきてるニャー
人口1万人超えの街ニャよー

礼拝堂もあるのですね
もちろんニャー
我々ケットシーは知恵の神ミヤ様の敬虔な信徒ニャー
それは素晴らしいことですね
ちら…
街を歩いているのも人族と獣人達だけ…

邪悪な魔族が跳梁跋扈する国と聞いていたのだけど…
でも今はお祈りより先にご飯を食べにいくニャーよ
クス
はい！そうしましょう
もしや…聖姫様では!?

あなたはルナ…？
やはりアナスタシア様お会いでき感激です
ガバッ
お知り合いですかニャ〜？
ぶんぶん

彼女はルナといって聖王国の難民キャンプで知り合った者です
まだ若いですが千人を超える月狼族の族長なのですよ
なるほどそうだったのニャ
あの時はお助けいただきありがとうございました
おかげでいまだに生き永らえております
ルナはどうしてこちらに？

はい
ちょっとした
ツテがあって
私を含めた数人だけ
こちらへの船便に
乗ることができたのです
我々は安住の地を
常に探しておりますので
人族の多い国では
蔑視される獣人達
…そうでしたね
月狼族の境遇も
悲惨なものだった…
タダシ王国では
差別もなく商売を始める
ことができました
そうだ
お二人とも食事の
ご予定でしたら…

月狼亭
私達の料理店『月狼亭』でぜひいかがでしょうか
ぱ
ニャンと！月狼亭の方だったのニャね〜
あっ
姫様がよければ行ごうニャ！
この地での月狼族の暮らしぶりがわかる絶好の機会ね
ええ　ぜひ！
ほか
はい　キツネうどん二つ！
ほか

熱いから
注意してください
ちゅる…
美味しい!!
港に戻るたび
新しい食べ物が
できてるニャー
アッッ
ふー
ふー
ルナ
これは いくらくらい
するものなのですか?
お二人で
銅貨十枚です
・・・・

あの…
市場調査も兼ねておりますから気兼ねならやめて欲しいのですが…
いえ本当にそれは一杯で銅貨五枚なんですよ
この金額で私達も儲けが出ます！
北の帝国に行った時ラーメンというものを食べましたが…
一杯で金貨一枚する高級料理でしたよ!?
信じられません…安すぎます!!
わっ
この国でうどんは手軽に食べられる庶民料理ですよ

しかも…材料がタダ同然なので安く提供できるんです
タダ…？
でも…街の大通りに立派な店構え…
大層な元手がかかったのでは…？
実はこの建物もすべて無料で貸していただいているんです
ええっ！そんなことがありえるんですか！
店を建てる木材から料理の原材料まですべて国王であるタダシ陛下が創り出しているニャ
この港では常に労働力が不足してるから
真面目に働いてくれそうなら店くらい任せるニャーよ

それもこれも農業神の加護を持ってるタダシ陛下がいるからニャ！
キキ
聖姫様聞いてくださいよ
このうどんという料理もタダシ陛下の奥方様が作り方を教えてくださったものなのです！
まあ！移民である狼獣人（ワーウルフ）にそこまでしてくれるものなのですか？
ごちそうさまでした…
まるで夢みたいな話ですね……
その奥様というのがマール殿下といって犬獣人の料理人なんですよ
やる気のある料理人ならば誰にでも教えると言われてとても感動しました

人族の王でありながら…
差別なく獣人を妻に迎えているなんて…!!
クリスピーさん…
タダシ国王にお会いしたいのですが
なんとかならないでしょうか…
ニィ…
そう言うかと思って…
これから向かうってシンクー様には連絡してあるニャ!
ぱあぁ
本当ですか!

聖姫様は大事な
お客さんニャー
きっとタダシ王も
会いたがると思うニャ！
さぁー出発ニャ！
ふぅ…
タダシ様!!

どたどた
どうしたんだ
シンクー
はあ
はあ
大変ニャ!!
ばたばた
聖王国のアナスタシア様が
間もなくいらっしゃる
とのことニャ!!
ええっ
そんな急に!?
よっ
ギギ
ニャハハ〜
クリスピーは連絡が
遅すぎるのニャ…

ええと…俺はどうすれば…
とっ とにかく急いで王城へ向うニャ！
外交的に考えるとタダシ様に出迎えてもらう必要があるニャ〜！
ダッ
だよね…
聖王国王女アナスタシア・アヴェスター様がいらっしゃいました!!

ええっ
いくらなんでも早すぎるわ！猫耳商会からの連絡では午後のはずじゃ？
それが一刻も早くお会いしたいと急いで来たそうで…
なんで誰も止めなかったのっ…
はぁ
早急に王城の人払いをしなくては…
コツ
コツ
ザ
ズ

キョロ
キョロ
ええと
国王はどちらに…
どた
どた
ばっ
お越しになりました！
我らがタダシ王陛下です!!
ぼ
間にあった～!!
ろ
…は…
はい？
ヒ
クッ…

タ…
タダシ陛下は
先程まで民のために
畑を耕していたのニャ!!
はっ
少しでも
印象アップニャ…!
畑を…?
?
聖王国の
聖姫様ですか
ザッ
でーーん
こんな格好で
すみません
大野タダシと言います
お会いできて
光栄です!
じょ…冗談
ですよね?

ニコ…
ニコ…
・・・・・・
ええー!?
あなたがタダシ王ですか!?
ビクッ

バン
リシュー猊下!!
なんですか
騒々しい

…件の船を襲わせた八隻…
すべて撃沈されました
ピクッ
ならず者どもを雇い聖姫を乗せた猫耳商会の船を襲わせましたが…
猫耳商会の船の新型大砲に蹂躙されたと――
このたびの敗戦弁解のしようもございません…！
弁明はよい
聖王国の関与については？

関係者全員を始末しましたのでご安心を…！
そうか…
抜かりなくやってくれたようだな
奴らは帝国並の海軍力を持つとわかったことが収穫だと考えよ
戦争が始まる前に相手を見定める…現状を正しく認識するのは大切だ
…しかしだ
失態に二度目はないぞ

グハンよ
『暗部』を動かせ
タダシ王国に忍ばせ
機会を狙うのだ
そして
かならずや
聖姫を殺せ

production
revolution
by blessing of gods

神々の加護で生産革命

〜異世界の片隅でまったりスローライフしてたら、なぜか多彩な人材が集まって最強国家ができてました〜

神々の加護で生産革命

production revolution by blessing of gods

～異世界の片隅でまったりスローライフしてたら、
なぜか多彩な人材が集まって最強国家ができてました～

モンスターコミックス

神々の加護で生産革命
～異世界の片隅でまったりスローライフしてたら、なぜか多彩な人材が集まって最強国家ができてました～⑥

2025年10月30日　第一刷発行

漫画：トトキハルキ
原作：風来山　キャラクター原案：鈴穂ほたる

発行者：島野 浩二
発行所：株式会社 双葉社
〒162-8540　東京都新宿区東五軒町3-28
電話：営業 03 (5261) 4818　編集 03 (5261) 4851

印刷所：三晃印刷株式会社
製本所：株式会社若林製本工場
初出：電子コミック描きおろし

ISBN978-4-575-42263-4 C0979